Pour – Sylvie

De la part de –
Carole

Autres livres dans la collection « Livres-à-aimer »
Bonjour Bébé
A la femme que j'aime
A l'homme que j'aime
A toi que j'aime
Pour un fils extraordinaire
Pour une fille extraordinaire
Lettre à une maman extraordinaire
Lettre à un papa extraordinaire
Pour une grand-mère extraordinaire
Pour un grand-père extraordinaire
Pour un petit-fils extraordinaire
Pour une petite-fille extraordinaire
Pour une sœur extraordinaire
Pour un frère extraordinaire (à paraître)
Pour un(e) ami(e) extraordinaire
Joyeux Noël
Pour une tante extraordinaire
Pour une marraine extraordinaire

© Helen Exley 1996

© **Éditions Exley s.a. 1999**
13, rue de Genval – B 1301 Bierges
Tél. : + 32 2 654 05 02 – Fax : + 32 2 652 18 34

ISBN 2-87388-169-0
D. 7003/1999/01

12   11   10   9   8   7   6   5   4   3   2   1

Vœux de bonheur à

QUELQU'UN
d'Extraordinaire

Un livre de Helen Exley
Écrit par Pam Brown
Illustré par Juliette Clarke

<u>JE VOUS SOUHAITE</u> :
– des aventures qui finissent bien,
– des journées pleines d'enthousiasme,
– un sommeil paisible et de gais réveils.

...

▤EXLEY
PARIS - LONDRES

MES VŒUX POUR VOUS TOUS

Je vous souhaite la joie d'avoir toujours quelqu'un
avec qui partager ce que vous vivez.

...

Je vous souhaite de pouvoir parfois, ou même souvent,
vous permettre de vous offrir ce qui vous fait envie
plutôt que ce qui fera l'affaire.

...

Je vous souhaite d'avoir assez de bons souvenirs
pour tenir dans les moments difficiles.

...

Je vous souhaite ce délicieux petit bonheur d'ouvrir
un livre que vous avez aimé, de reconnaître le grain
du papier, les mots familiers du début.

...

Je vous souhaite la joie de trouver le cadeau idéal
pour quelqu'un que vous aimez.

...

Je vous souhaite le printemps, et l'émerveillement de
le découvrir toujours plus beau que ce que vous espériez.

...

Je vous souhaite le bonheur de recevoir un cadeau
d'un enfant ;
– un bouquet de pissenlits un peu fanés,
– un caramel poussiéreux,
– une grenouille,
– un baiser mouillé.

<u>CADEAUX DE LA NATURE</u>

Puissiez-vous une ou deux fois dans votre vie, voir
l'infiniment rare, l'infiniment étranger et
l'infiniment beau.

...

Je vous souhaite d'être fasciné par les plantes :
les miracles du greffage et de la taille, les semences,
les bulbes et les graines. Le renouveau
de la terre.

...

Je vous souhaite la mélancolie des jardins en hiver
et après des mois d'attente, les menus signes
de verdure du printemps.

Je vous souhaite un ravissement devant l'infinie
variété de la vie animale...
Qui aurait pu imaginer des éléphants,
des girafes, des ornithorynques ?
Qui aurait soupçonné le kaléidoscope de la vie
sous-marine ?
Ou des aigles qui planent dans le vent. Des souris
à moustaches argentées. Ou des libellules turquoise.
Nous partageons l'univers avec des millions de formes
de vies. Quelles merveilles !
Un chat qui fait le gros dos. Les bonds des gazelles.
La souplesse sinueuse des orvets.
La désinvolture des renards.
Non pas esclaves ou serviteurs des hommes mais
leurs compagnons, dignes de respect.

...

Je vous souhaite de gagner
avec patience et amour
la confiance d'un animal sauvage.

PUISSIEZ-VOUS...

... ouvrir la porte d'entrée et atteindre le téléphone avant qu'il n'arrête de sonner.

... dire ce qu'il convient au sommelier.

... vous rappeler votre code secret.

... avoir assez d'argent pour rentrer chez soi.

... être nécessaire pour quelqu'un.

... trouver une pièce de monnaie utile dans la doublure de votre poche.

... être surpris par vos propres capacités.

... découvrir que cette vieille enveloppe brune contenait une recette.

... aimer la réalité, non les illusions.

... trouver exactement la bonne réplique – succincte, mémorable, écrasante – <u>au bon moment</u> et pas une demi-heure plus tard.

PUISSIEZ-VOUS NE JAMAIS...

… manquer la dernière levée postale.

… vous mettre à applaudir à la fin du
deuxième mouvement.

… vous tromper de couverts pendant le repas.

… constater que le spectacle pour lequel
vous avez des billets a eu lieu hier.

… vous montrer sur votre trente-et-un
sans les chaussures assorties.

… perdre votre carte de crédit.

… avoir une télévision qui tombe en panne
au moment crucial.

… recevoir une plante d'appartement
qui meurt lors de la visite de vos amis.

… laisser votre liste de courses sur
la table de la cuisine.

FORCE ET COURAGE

Si je pouvais faire un vœu pour toi, j'aurais
du mal à choisir le don qui t'aiderait à trouver
le bonheur.

La beauté est dangereuse, la sagesse doit se gagner,
l'amour est un choix personnel.

En fin de compte, je suis certain que je choisirais
le plus beau des dons, celui du courage.

...

Que l'amour ne vous transforme jamais
en une carpette !

...

Que vous trouviez toujours le mot juste
pour remettre les voyous à leur place
et assez de force dans les jambes
pour sortir dans la dignité.

...

Que vous ayez un cœur aimant et un jugement sûr.

...

On a beaucoup de bonheur
à donner. Mais donner
sans cesse peut épuiser l'âme
et le cœur.
Donnez-vous du « bon temps »,
fût-ce un moment, dans le
jardin, une galerie, un café.
Appréciez ce moment.
Laissez les oiseaux, les
images, la musique, les
livres, les amis restaurer
vos forces. Nous avons tous
besoin de nourriture.

...

JE VOUS SOUHAITE LA JOIE DE :

Voir vos bagages arriver intacts sur le tapis roulant.

Recevoir la lettre d'un ami dont vous aviez perdu l'adresse.

Voir le visage de quelqu'un s'illuminer en vous voyant.

Savoir qu'on a besoin de vous.

Trouver le cadeau idéal pour votre collaborateur.

Voir démarrer votre voiture du premier coup

quand un acheteur potentiel l'essaie.

Apercevoir le chat disparu s'avancer dans l'allée.

Sentir l'odeur de la terre en pleine mer.

Observer des oies sauvages volant bas dans le ciel.

Voir un biplan acrobate par un beau jour d'été.

Sentir le linge séché au soleil.

Rencontrer des ânes.

Admirer l'aube en plein cœur du désert.

Voir telle personne réaliser qui vous êtes vraiment
et vous aimer pour cela.

Enlever vos chaussures chics.

Apercevoir la personne que vous aimez au bout
du quai.

Manger des pistaches.

Admirer Renoir.

Découvrir que vous n'avez pas, en fin de compte,
jeté au feu la lettre de votre ami
avec l'emballage cadeau.

Marcher sous la pluie.

...

Si je le pouvais, je t'épargnerais tous les moments
où « ça va pas ».

JE NE TE SOUHAITE DONC PAS...

Que le gâteau doré et bien gonflé que tu sors du four
rapetisse à vue d'œil.

Que l'oiseau rare là-bas au loin dans un arbre s'avère
être, avec des jumelles, un bête morceau de chiffon.

Que le coup de téléphone tant attendu soit
un mauvais numéro.

De découvrir que ce voyage d'un mois aux Antilles,
que tu as gagné, ne soit en fait qu'un cruel coup
publicitaire pour de la vente par correspondance.
Que le visage qui s'illumine à ta vue soit destiné
à la personne qui se trouve derrière toi.
Que ce qui brille dans la rigole soit un faux reflet.
Que ce pull de grande marque, découvert au marché
aux puces, ait une tache de peinture dans le dos.
De trouver en solde tes chaussures rêvées
mais trop petites.
Une grippe ni un rhume ni une rage de dents.
Que le parfum qui a coûté une fortune sente
le chien mouillé.
Que les bulbes de narcisse en pot pourrissent.
D'avoir déjà vu le programme télévisé pour lequel
vous êtes resté debout jusqu'à minuit.
De rater la vidéo du pique-nique.
De recevoir un colis qui ne t'est pas destiné.
Que l'amour que tu croyais réciproque ne le soit pas.

Je vous souhaite le bonheur d'un amour
qui ne change pas au fil du temps si ce n'est
pour briller plus ardemment.

L'AMITIÉ

J'espère que tu auras toujours dans ta vie de la place
pour de nouveaux amis.

…

Je te souhaite des lettres de tous genres :
avec une écriture familière, une écriture que
tu n'as plus vue depuis des années, une écriture
totalement inconnue.
Des lettres pleines de louanges, d'encouragement ;
des lettres de remerciement et d'amour.
Des lettres d'excuses de la part de fabriquants
– avec des offres inattendues.
Des lettres qui commencent par
« Nous sommes heureux de vous annoncer que… ».
Des lettres au timbre inconnu, des lettres
à en-tête fabuleuse.
Des lettres peu soignées, barbouillées d'encre,
mal écrites, couvertes de traces de baisers.

…

DANS LES MOMENTS DURS...

Pourquoi vouloir analyser les causes de la souffrance ! On ne peut revenir en arrière. Rien ne peut changer ce qui est arrivé et il ne sert à rien de regretter ceci ou cela. Dans ces moments difficiles, tâche de te concentrer sur les menus plaisirs du présent. Donne-toi du temps pour guérir. Reste calme.

...

L'absence d'un être cher laisse un grand vide. Mais ne fermons pas notre cœur et notre âme. Laissons la vie revenir. Noyé dans le chagrin, cela semble impossible, mais de nouvelles joies attendent de remplir ce vide.

...

Je te souhaite le bonheur d'oublier le passé et de repartir à zéro.

Je voudrais pouvoir t'épargner les
chagrins, les catastrophes, les échecs.
Mais alors, tu serais coupé de tout, de
tout le monde sur cette planète. Ce sont
les peines autant que les joies qui
construisent une famille, une amitié,
une solidité intérieure.

…

Si je pouvais te donner quelque chose,
je t'offrirais la quiétude au cœur
de ta vie pour que le calme et la paix
t'accompagnent quoi qu'il advienne.

…

Étreins le bonheur avec douceur.
C'est un prêt.

…

UN CHEMIN

Je te souhaite de chercher et d'approfondir,

tout au long de ton existence, qui tu es

et ce que tu veux faire de ta vie.

C'est-à-dire de suivre un chemin de fidélité

à toi-même, à ce que tu es vraiment.

Un chemin d'épanouissement qui rayonnera

sur tous ceux qui auront le bonheur

de te rencontrer.

Un chemin de paix qui éclaire et qui chauffe.

Que ce chemin, malgré les détours, les pierres et

les embûches, soit parsemé de fleurs et de fruits,

égayé du chant des oiseaux, parfumé d'air frais.

Que ton sac soit léger à porter

et tes chaussures confortables.

Que les haltes soient ressourcement.

Que l'enthousiasme et la joie

t'accompagnent toujours.

...

LA VENUE DU PRINTEMPS

Les jacinthes pointent leur museau luisant à la
surface de la terre nue, les bourgeons
se gonflent sur les branches nues.

Sens-tu la douceur de la brise ?

Cette merveille s'appelle printemps.

C'est le dégel.

La grisaille hivernale devient joie éclatante,
promesse de renouveau.

Comme les veines
de notre main, les
ruisseaux se jettent
dans un même fleuve.
Nous sommes tous
unis. La même vie
souffle sur toute chose.
Soyons-en heureux.

À LA DÉCOUVERTE

Je vous souhaite la joie d'un « oui ! Je comprends ! »

...

Je vous souhaite le bonheur des idées et du
raisonnement, le triomphe de la compréhension,
le don de clairvoyance, l'émoi de l'écoute,
la perspective de nouvelles découvertes,
le plaisir de la culture, l'euphorie de la créativité.

...

Je vous souhaite la joie de maîtriser vos propres
muscles ou un bateau, une bicyclette, un cheval,
la peinture à l'huile, les points à l'endroit
et les points à l'envers, les moteurs, les maths.
Tout et rien.

...

Pour que toujours, toujours, vous désiriez apprendre
ou faire quelque chose, aller quelque part
où rencontrer quelqu'un. Pour que la vie soit
toujours radieuse.

...

Le bonheur est une jouissance
tranquille et continuelle
des petits événements
de la vie.

LES PETITES CHOSES

Le bonheur prend mille formes, comme l'art.

Nous avons besoin de grandeur et de gloire :

un amour durable, l'amitié, la réalisation de soi,

l'excitation de grands événements.

Mais nous avons aussi besoin de petites choses :

des comiques à la T.V., de la pluie sur la fenêtre,

des chats dans le lit, des champignons dans l'herbe,

les lumières d'une maison qui s'éteignent, la vue

d'un rideau que l'on tire, du pain fait maison.

Le clair de lune sur un champ, la découverte

d'un livre longtemps cherché, un « tout est en ordre »

émis par le dentiste. Tout ce qui allège le cœur et fait

que les journées les plus mornes en valent la peine.

Goûtez la joie des petites choses.
Elles donnent beaucoup de
bonheur et pimentent la vie
avec douceur.

Je vous souhaite des petits délices du genre : le sourire
d'un automobiliste inconnu dans un embouteillage,
un vêtement de marque découvert à une brocante,
des graines qui fleurissent, un double jaune d'œuf, un
rouge-gorge dans le pommier, des pièces de monnaie
dans la rigole, un papillon-sphinx dans les buissons,
un tour qui décoiffe sur les montagnes russes,
un petit baiser collant, un chat qui a besoin qu'on
lui frotte le ventre, un biplan qui fait un looping.
Un rhume qui tourne court. Un colis inattendu.
Le train qui arrive à l'heure.

...

Je vous souhaite des petits bonheurs imprévus : une
invitation, un cadeau, le clin d'œil d'une caissière.

OÙ QUE VOUS ALLIEZ

Il y aura des tournants dans votre vie où
vous serez amené à quitter le vieux chemin
tout tracé. Mais la vie recommencera.

Il y aura des difficultés, des instants
de doute, des moments de peur, mais aussi
des surprises. Un tournant de la route et un
nouveau monde sera là, un autre où vous entrerez
comme après un ravin.

Tout au long de ce chemin, vous verrez, goûterez,
sentirez et toucherez de nouvelles choses.

Ce sera la voie que vous choisirez.

Ce sera votre bonheur, votre vie.

Mes pensées vous accompagnent.

...

Les amis ne sont pas toujours là au bon
moment. Mais, même si vous êtes seul, à chameau
au cœur du Sahara ou que vous barriez
d'une main dans l'Atlantique-sud par gros temps,
leurs pensées vous accompagnent ainsi que
leurs meilleurs vœux. Pensez à eux
quand vous consultez votre boussole ou
étarquez une voile. Ils vous souhaitent de trouver
le bonheur profond que vous cherchez.

...

Je vous souhaite ce bonheur,
et pas celui qu'on achète en se fermant au monde.
Ou en abandonnant ses rêves
pour assurer son petit confort. Je vous souhaite
de vous réaliser pleinement, de prendre
le risque d'essayer,
le risque de donner,
le risque d'aimer.

...